COCO

UND WIE SIE
DIE WELT SAH

Herausgegeben von
*Patrick Mauriès und
Jean-Christophe Napias*

*Illustrationen und Gestaltung von
Isabelle Chemin*

PRESTEL
München · London · New York

Copyright der deutschsprachigen Ausgabe:
© Prestel Verlag, München · London · New York, 2020,
in der Penguin Random House Verlagsgruppe GmbH
Neumarkter Straße 28 · 81673 München
4. Auflage, 2023

Published by arrangement with Thames & Hudson Ltd, London,
The World According to Coco © 2020 Thames & Hudson Ltd, London.
Zusammenstellung © 2020 Patrick Mauriès und Jean-Christophe Napias
Vorwort © 2020 Patrick Mauriès

Zitate von Paul Morands *Die Kunst, Chanel zu sein: Coco Chanel
erzählt ihr Leben* © 2019, SchirmerGraf.
Weitere Zitate von Louise de Vilmorins *Mémories de Coco* © 1999,
Éditions Gallimard.
Zitate von Karl Lagerfeld aus *Karl und wie er die Welt sah* © 2020,
Karl Lagerfeld.
Copyrightangaben auf S. 174–175.
Illustrationen und Design von Isabelle Chemin.
Illustrationen S. 10 und S. 160 basierend auf Foto © Boris Lipnitzki/
Roger-Viollet.
Illustration S. 26 basierend auf Illustration © Condé Nast.

Der Verlag weist ausdrücklich darauf hin, dass im Text
enthaltene externe Links vom Verlag nur bis zum Zeitpunkt
der Buchveröffentlichung eingesehen werden konnten. Auf
spätere Veränderungen hat der Verlag keinerlei Einfluss.
Eine Haftung des Verlags ist daher ausgeschlossen.

Projektleitung: Claudia Stäuble, Stella Christiansen
Übersetzung: Nele Junghanns
Satz: bookwise GmbH
Herstellung: Friederike Schirge
Druck und Bindung: C & C Offset Printing Co. Ltd

Printed in China

978-3-7913-8697-3

www.prestel.de

INHALT

Vorwort von *Patrick Mauriès* 6

Coco über Coco 1 11
Coco über Mode 27
Coco über Couture 41
Coco über Stil 57
Coco über Eleganz 67
Coco über Schmuck 77
Coco über Parfüm 85
Coco über Farben 95
Coco über Arbeit 103
Coco über Ideen 111
Coco über Luxus 119
Coco über Zeit 129
Cocos Witz 137
Karl über Coco 153
Coco über Coco 2 161

Quellen 174

LA GRANDE MADEMOISELLE

1920 sprach Coco Chanel kaum ein Wort. Sie war es gewohnt, im Schatten ihrer Freunde zu leben. Als sie nach dem frühen Tod von Boy Capel ganz allein war, machte sie die Bekanntschaft der überschwänglichen Misia Sert und wurde durch diese in Literaten- und Künstlerkreise eingeführt, die vorher völlig außerhalb ihrer Reichweite lagen. »Niemand kannte sie«, schrieb Edmonde Charles-Roux. »Sie wurde kaum vorgestellt. Niemand hörte sie reden. Sie beobachtete nur.«

Vielleicht sind diese gesammelten Zitate die Früchte jener Zeit als Zuhörerin. Zwischen jener zierlichen, schweigsamen Frau an der Seite von Misia Sert und der Priesterin im Kostüm mit dem kantigen Kinn und den schmalen Lippen, die mit nonchalanter, aber präziser Rhetorik und einer unvergesslichen rauen Stimme Anweisungen erteilt, scheinen Welten zu liegen. Doch es sind nur ein ganzes Leben und ein Schatz an Erfahrungen.

Der grundlegende Widerspruch in Chanels Vision ist bekannt – sie gab ihn selbst zu, und Roland Barthes unterstrich ihn in seinem Essay ›The Contest between Chanel and Courrèges‹ von 1967. Sie, die ihr Leben der launenhaften Welt der Mode gewidmet hatte – »Jahr für Jahr zerstört die Mode, was sie einst bewunderte, und bewundert, was sie schon bald zerstören wird« –, suchte stets nach einem bleibenden Prinzip des Stils, das nur sorgsam abgewogene Variationen duldet, beruhend auf einer platonischen Idee idealisierter (weiblicher) Schönheit.

Diese Suche nach Stil, nach der treffendsten Formulierung, prägte auch ihre Konversation, wie Barthes etwas ironisch anmerkte: »Sie ist ausgestattet mit der Autorität und Ausdruckskraft eines Schriftstellers des Grand Siècle: elegant wie Racine, jansenistisch wie Pascal (den sie zitiert), philosophisch wie La Rochefoucauld (den sie nachahmt, indem sie die Öffentlichkeit an ihren Maximen teilhaben lässt), feinsinnig wie Madame de Sévigné und schließlich rebellisch wie die ›Grande Mademoiselle‹, deren Spitznamen und Rolle sie angenommen hat.« Was das angeht, war die die ›Grande Mademoiselle‹ ein Produkt ihrer Zeit: der Kultur,

Traditionen und Rituale der feinen Gesellschaft, in die sie in jungen Jahren eingeführt wurde und die ab den 1950er-Jahren zu schwinden begann, bis in den 1970er-Jahren kaum noch jemand davon übrig war.

Diese Kultur teilte sie mit Schriftstellern – Louise de Vilmorin, Paul Morand, Edmonde Charles-Roux, Michel Déon –, die sie engagierte, nur um sie kurz darauf wieder zu feuern, die aber dennoch zahlreiche ihrer Bonmots festhalten konnten. Später sollen wir an diesem Geist teilhaben, wenn wir sie durch Paul Morands *Die Kunst, Chanel zu sein* reden hören (dieselbe Vorliebe für markige Sätze und trockenen Witz), die vermuten lassen könnten, dass ihre Worte komplett umgeschrieben und poliert worden seien, doch Morand gab sich größtenteils damit zufrieden, zu transkribieren, was er hörte: eine Vision über Geschmack, Kultur und Werte, im Guten und manchmal auch im Bösen. Alles, was Chanel brauchte, war ein Sprachrohr. Auch wenn dieses ihr nicht immer zusagte.

Karl Lagerfeld, ein erklärter Liebhaber des 18. Jahrhunderts, war ebenso für seine Vorliebe für fein geschliffene Sätze oder scharfe Bemerkungen bekannt und brachte es darin zu noch größerer Brisanz und Stärke. Weniger kompromisslos, dafür berechnender als Coco, ließ er sich gern auf das Spiel mit den Medien ein, das sie hasste, um sich hinter seinem öffentlichen Image zu verstecken. In dieser Hinsicht – und indem er ihre Designs umarbeitete und neu erfand – war er der perfekte Erbe der Grande Mademoiselle. Dies machte ihn zu ihrem idealen Interpreten zu einer Zeit, als sich eine allmächtige Mode unaufhaltsam über ihre Grenzen hinaus ausdehnte, bis sie die heutige wirtschaftliche und kulturelle Signifikanz erreichte, die nur noch an Stärke zuzunehmen scheint.

1969 empörte Chanel sich über die Erfindung des Minirocks. Als »unanständig«, »schamlos« und »unsittlich« verteufelte sie das Entblößen der Knie (eines »hässlichen Gelenks«), was zunächst für einen Skandal sorgte. Nicht auszudenken ihre Reaktion auf den heutigen Exhibitionismus und Narzissmus, Silikonkörper, hirnlose Selfies und die um sich greifende Dummheit. Nichts könnte weiter von dem entfernt sein, was sie als Stil bezeichnete, eine unveränderliche, universelle und zeitlose Qualität. Stil ist nichts anderes als ein Spielball der Geschichte.

Patrick Mauriès

COCO
ÜBER
COCO

1

*Ich habe ein paar recht reizvolle Qualitäten –
und eine Menge unerträglicher Fehler.*

*Ich hasse es, mich zu erniedrigen, das Rückgrat
zu krümmen, Demut zu bekunden, meine
Gedanken zu verschleiern, nicht nach meinem
eigenen Gutdünken zu handeln.*

*Dieser äußerst harten Erziehung verdanke ich mein
Rückgrat. Ja, der Stolz erklärt mein störrisches
Naturell, mein zigeunerhaftes Bedürfnis nach
Unabhängigkeit, auch meine Ungeselligkeit. Er
ist der Ariadnefaden, mit dessen Hilfe ich doch
immer wieder meinen Weg finde.*

Ich bin schnell gereizt, reizbar und ein Ärgernis.

Ich weiß, dass ich unerträglich bin.

Ohne es darauf
anzulegen,
war ich
immer
anders
als die
anderen.

Ich kritisiere

für mein Leben gern,

wenn ich einmal nicht
mehr kritisiere, wird
es mit meinem Leben
bald zu Ende sein.

Einmal stand mein Wagen ziemlich weit vom Bürgersteig entfernt, sodass ich beim Aussteigen einen großen Schritt über den Rinnstein machen musste, was jedoch nicht so einfach war, da ich einen engen Rock trug. Am Straßenrand saßen zwei Arbeiter, und als sie meine Verrenkungen sahen, brachen sie in Gelächter aus. An diesem Tag beschloss ich, ab sofort immer unter denen zu sein, die lachen, und nie wieder unter denen, die ausgelacht werden.

Ich lasse mich nicht gern festhalten wie eine Katze.

Haben Sie meinen hundsföttischen Charakter jetzt erkannt?

Ich bin der einzige noch nicht erloschene Vulkankrater der Auvergne.

Ich kann arbeiten. Ich kann mich disziplinieren.
Aber wenn ich etwas nicht will, kann mich nichts
und niemand dazu bringen.

Ich habe niemanden, um mich zu disziplinieren.
Ich diszipliniere mich selbst.

Unterordnen kann ich mich nicht, höchstens in
der Liebe – wenn überhaupt …

Es gibt eine Sache, die nicht zu verkaufen ist:
Mademoiselle Chanel.

Ich bin eine Biene,

das ist Teil meines Sternzeichens,
des Löwen oder auch: der Sonne. Frauen
mit diesem Sternzeichen arbeiten hart,
sind mutig und treu und lassen sich
durch nichts einschüchtern. Das ist
meine Persönlichkeit. Ich bin eine Biene,
die im Zeichen des Löwen geboren ist.

JE MEHR MAN MICH SEHEN WOLLTE,

DESTO MEHR VER-
STECKTE ICH MICH.

DAS IST IMMER SO
GEBLIEBEN.

Jedes Mal, wenn ich etwas Vernünftiges gemacht habe, hat es mir Unglück gebracht.

Kühnheit und Schüchternheit sind die beiden Extreme meiner Persönlichkeit.

Man muss lernen, seine Fehler zu überlisten. Wenn man das beherrscht, erreicht man alles.

Die Unbarmherzigkeit des Spiegels wirft mir meine eigene Unbarmherzigkeit zurück: Es ist ein erbitterter Kampf zwischen ihm und mir. Er zeigt, was an Präzision, Effizienz, Optimismus, Begeisterung, Realismus, Kampfgeist, Spottlust und Ungläubigkeit in mir steckt und die Französin ausmacht. Dann sind da noch meine goldbraunen Augen, die den Zugang zu meinem Herzen eröffnen: Und da sieht man, dass ich eine Frau bin.

Obwohl ich schon so viel Zeit mit der Suche nach mir selbst verbracht habe, bin ich immer noch nicht bei mir angekommen. Zwischen uns gibt es ein unüberwindliches Hindernis.

Meine Freunde hänseln mich, weil ich so viel rede. Sie verstehen nicht, dass ich das aus Angst tue, vor Langeweile einzugehen, wenn ich anderen zuhören muss. Wenn ich eines Tages sterbe, dann vor Langeweile.

Warum ich zurückgekehrt bin? Mir wurde langweilig. Fünfzehn Jahre lang habe ich versucht, mich selbst zu verstehen. Heute sind mir Katastrophen lieber als das Nichts.

Langeweile war schon immer mein größter Feind. Ich arbeite, damit mir nicht langweilig wird. Nicht wegen des Geldes. Nicht wegen der Frauen. Von denen habe ich genug gesehen. Ich sehe die Frauen, die nichts tun. Sie tun nichts. Sie sind nichts. Sie sind tot.

Ich habe nur vor einer Sache ANGST: mich zu LANG- WEILEN.

Meine
schönsten
Reisen
habe ich auf
meiner Couch.

*Ich, die ich zur Klasse der dummen Frauen gehöre,
derer, die nur an ihre Arbeit denken, ich denke
nach getaner Arbeit höchstens noch über Karten-
legerinnen nach, über die Affären der anderen,
die Tagesereignisse und anderes dummes Zeug.*

*Ich hänge nur an Kleinigkeiten, vielleicht auch an
gar nichts – denn hier verbirgt sich Poesie.*

*Die Realität bringt mich nicht zum Träumen, und
ich liebe es, zu träumen.*

*Ich habe mich immer bemüht, Kleider zu entwerfen,
die Frauen viele Jahre tragen können. Wäre es
arrogant, zu behaupten, dass ich das geschafft habe?*

*Ich glaube, die Leute, die mich nicht lieben,
liebe ich auch nicht. Das ist meine Verteidigungs-
strategie. Ich merke sofort, wenn die Leute mich
nicht lieben. Und auch wenn ich ihnen nicht
gefalle, was kein schönes Gefühl ist. Und ich
glaube nicht, dass das irgendjemand versteht.*

*Ich erwarte nicht, dass die Menschen mich lieben:
Das ist ein starkes Wort. Ich kann auch nicht alle
lieben. Ich liebe nur sehr wenige Menschen. Was
man allgemein unter Liebe versteht, sich jemandem
mit Körper und Seele hingeben, eine solche Liebe
gibt es nur selten.*

*Ich habe eine starke Abneigung gegenüber allen
Frauen, angefangen mit mir selbst, denn ich kann
mit Sicherheit sagen, dass niemand eine schlechtere
Meinung von mir hat als ich.*

Ich habe
keine lauwarmen
Gefühle
für irgendwen,

entweder mag
ich jemanden
 ODER
nicht.

COCO
ÜBER
MODE

Mode? Wenn die Leute mich fragen, was ich über Mode denke, weiß ich nie, worauf sie hinauswollen … Was ist Mode? Hin und wieder ändere ich ein kleines Detail, am Ausschnitt, am Ärmel – Ärmel sind so wichtig bei einem Kleid –, und sofort kommt alles andere aus der Mode … Dabei tue ich das nur, damit das Kleidungsstück besser funktioniert. Ich sitze ja nicht herum und zerbreche mir den Kopf, wie ich alles über den Haufen werfen kann!

Man kann lernen, Kleider zu nähen, das heißt aber nicht, einen Coup zu landen. Mode drückt sich nicht nur in Kleidern aus, Mode hängt in der Luft, der Wind trägt sie einem zu, man ahnt sie, man wittert sie, sie kommt von oben oder auch auf dem Straßenpflaster daher, sie ist überall, sie hängt zusammen mit dem Gedankengut, den Sitten, den Ereignissen.

Ich bin der Zeit weder hinterher noch voraus. Meine Mode folgt dem Leben.

Ich würde gern mal die Couturiers
zusammentrommeln und jedem von
ihnen dieselbe Frage stellen:

Was ist Mode?
Erklären Sie es mir.

Ich bin sicher, keiner von Ihnen würde
mir eine sinnvolle Antwort geben.
Ich übrigens auch nicht.

1er Arr^t

EINE MODE, DIE
ES NIE BIS AUF DIE
STRASSE SCHAFFT,
IST KEINE MODE.

Ich habe ein Vierteljahrhundert lang Mode kreiert.
Warum? Weil ich meine Epoche auszudrücken ver-
mochte. Ich habe Sportkleidung für mich erfunden:
nicht weil andere Frauen Sport trieben, sondern ich
selbst. Ich ging nicht aus, weil ich das Bedürfnis
hatte, Mode zu machen, sondern ich machte Mode,
gerade weil ich ausging und als Erste das Leben
dieses Jahrhunderts lebte.

Es ist besser, der Mode zu folgen, selbst wenn sie
hässlich ist. Nimmt man Abstand von ihr, wird man
schnell zur komischen Figur, was entsetzlich ist.
Niemand ist stark genug, um stärker zu sein als
die Mode.

In der Mode geht es immer voran – niemals rück-
wärts. Man muss mit der Zeit gehen …

Ein Kleid oder ein Anzug muss immer das Heute widerspiegeln, wie ein Parfüm, das in der Luft liegt und sagt: »Ich bin vorbeigegangen und ich bin immer noch hier.«

Mode ist das Einzige, das sehr schnell alt wird – viel schneller als jede Frau.

Mode ist für mich kein Spaß, sie ist etwas, das an Selbstmord grenzt.

Auch in der Mode ist es so, dass nur Schwachköpfe niemals die Meinung ändern.

Der beste Beweis, dass Mode nicht für die Ewigkeit gemacht ist, ist, dass sie aus der Mode kommt. Und zwar ziemlich schnell.

MODE WILL GETÖTET WERDEN, DAZU IST SIE DA.

In meinem Modehaus wird man nie ein Knie zu sehen bekommen.
Das Knie ist ein Gelenk. Glauben Sie etwa, dass ein Gelenk schön aussehen kann? aussehen kann?

*Neuheiten! Man kann doch nicht dauernd etwas
Neues machen!*

*Diese absurde Vorstellung, die Mode wäre abhängig
von der Länge des Rocks: heute kurz, morgen lang …
Mode ist natürlich eine Frage des Geschmacks, des
guten Geschmacks, und die Länge eines Rocks hängt
von den Beinen ab. Wenn Sie schöne Beine haben,
zeigen Sie sie. Wenn nicht, dann nicht. So einfach ist
das. Oder vielmehr vernünftig.*

*Mode ist eine ernste Angelegenheit. Ich finde nicht,
dass Mode ununterbrochen schockieren sollte. Man
kann nicht ein- oder zweimal pro Jahr alles zerstören,
was man aufgebaut hat.*

*Ich bin gegen die Absurdität, Mode zu erschaffen,
die nicht von Dauer ist … Für mich sind alte
Kleidungsstücke wie alte Freunde, verstehen Sie?
Man kümmert sich darum. Man repariert sie.*

*Es gibt intelligente Frauen, aber beim Schneider
sind auch sie nicht intelligent (auch nicht mora-
lisch: Sie würden ihre Seele verkaufen für ein Kleid).*

*Sehen Sie sich die Frauen von der Presse an,
die entscheiden, was in Mode ist und was nicht.
Sie sind fett, hässlich und schlecht angezogen!*

*Die selbstsichere Frau verwischt nicht den Unter-
schied zwischen Mann und Frau – sie betont ihn.*

Ich hasse

es, wenn die
Frauen zu

BLIND

der Mode folgen,
auf Kosten ihrer
Persönlichkeit.

Was wir in
der Mode
erschaffen,
sollte erst
schön
sein und dann
hässlich
werden.
Was Kunst
schafft,
sollte erst
hässlich
sein und dann
schön
werden.

*Mit Enthusiasmus muss man über Mode sprechen,
ohne all diesen Schwachsinn, all diese Poesie
oder gar Literatur. Ein Kleid ist weder eine
Tragödie noch ein Gemälde: Es ist eine reizvolle
und ephemere Kreation, kein unvergängliches
Kunstwerk. Die Mode muss sterben, und zwar
schnell, damit der Handel leben kann.*

*Der übermäßige Respekt, den manche vor der
französischen Mode haben, macht mir fast Angst.
Liegt es vielleicht an meiner Vertrautheit mit ihr,
dass ich sie als etwas Lebendiges und Verderbliches
behandele und nicht als ewiges Zeugnis des Genies?
Keine Ahnung.*

*Denn die Mode spaziert durch die Straßen, sie weiß
nicht, dass sie existiert, bis ich ihr auf meine Art
Ausdruck verliehen habe. Mode ist, wie die Land-
schaft, Stimmungssache, also von mir abhängig.*

COCO
ÜBER
COUTURE

Die Couture ist keine Kunst, sondern ein Geschäft. Wir sind keine Genies, wir sind Lieferanten. Wir hängen unsere Kleidungsstücke nicht an die Wand, um sie auszustellen, wir verkaufen sie.

Kostümdesigner arbeiten mit dem Bleistift: Das ist Kunst. Couturiers arbeiten mit Schere und Nadeln: Das ist eine amtliche Bekanntmachung.

Die Couture ist keine abstrakte Kunst, sondern ein Handwerk, und es geht dabei um Form im wahrsten Sinn des Wortes. Es ist die Form des Kleidungsstücks, die zählt. Und die Form der Frau, die darin steckt. Eine Frau ist mehr als zwei Knie. Zum Glück.

ICH KANN NICHT
NÄHEN,
ICH WEISS,
WO MAN DIE NADELN
HINSTECKEN MUSS.

ICH BRAUCHE
schöne
Mannequins.
ES GIBT EIN PAAR
MÄDCHEN, MIT DENEN
ICH NICHT ZUSAMMEN-
ARBEITEN KANN.
Richtige
Nervensägen.

Ich arbeite direkt am Körper. Ich ziehe meine Inspirationen aus meinen Mannequins, nicht aus meinen Zeichnungen. Deshalb wechsele ich die Models so oft. Ich arbeite mit einer Schere und sehr vielen Nadeln.

Die Herrschaft des Mannequins als Objekt muss ein Ende haben. Meine Mannequins sind echte Frauen, keine Erscheinungen.

Ein Mannequin ist wie eine Uhr. Die Uhr offenbart uns die Zeit. Ein Mannequin muss das Kleid offenbaren, das es trägt.

Ich könnte nichts tragen, das ich nicht machen würde. Und ich könnte nichts machen, das ich nicht tragen würde. Ich stelle mir ständig die Frage: Ganz ehrlich, würde ich das anziehen? Das heißt, eigentlich frage ich mich das schon gar nicht mehr, es ist mir in Fleisch und Blut übergegangen.

Mode ist wie Architektur: Es ist eine Frage der Proportionen. Am schwersten wäre es, ein gut proportioniertes Kleid zu machen, das jeder Frau passt, ein Kleid, das fünf verschiedene Frauen tragen könnten, ohne dass man gleich merkt, dass es dasselbe ist.

Hätte ich ein Handbuch zu schreiben, würde ich sagen: »Ein gut geschnittenes Kleid steht jeder Frau.«

All die Kunst,
die man
darunter braucht,
damit sich ein
Kleid gut
bewegt.
Darum geht es

in der Mode:

um das

Darunter.

Ein Kleid, das nicht bequem ist, ist ein Fehlschlag.

Manche Frauen wollen in ihre Kleidung eingenäht werden. Niemals! Ich will, dass Frauen in meine Kleider steigen und sich ansonsten um nichts scheren.

Ein Chanel-Kostüm ist für eine Frau gemacht, die sich bewegt.

Kleidung sollte so beweglich sein wie die Frau, die sie trägt.

Damit ein Kostüm hübsch ist, muss es so aussehen, als sei die Frau, die es trägt, darunter nackt.

Bei einem Kostüm kommt es auf die Konstruktion an.
Und die Leute nennen es das »kleine Chanel-Kostüm« …

Perfektion sollte man da finden, wo man sie am
wenigsten erwartet.

Nichts an der Kleidung sollte unnütz sein, alles muss
eine Funktion haben: kein Knopf ohne Knopfloch.

Warum wollen Sie das alles da dranhaben?
Schneiden Sie es ab und fertig.

Gibt es bei einem Flugzeug etwa Rüschen? Nein.
Als ich meine Kollektion geschaffen habe, dachte ich
an Flugzeuge.

Man darf keine Scheu haben vor Falten in der Kleidung:
Eine Falte ist immer schön, wenn sie nützlich ist …

ES GIBT NUR EINE LINIE. DIE GERADE LINIE.

EIN KLEID IST BEI MIR NIEMALS FERTIG.

Ich arbeite daran bis zum allerletzten Tag. Manchmal bis in die letzte Nacht hinein.

Aus Angst, dass es schon wieder aus der Mode ist,

NEHME ICH NOCH WAS UND NOCH WAS WEG,

alles, was ich hinzugefügt habe und überflüssig finde.

Ein schöner Stoff behauptet sich selbst – je üppiger ein Kleid ist, desto armseliger wirkt es.

Traumkleider? Die kann ich auch machen … Man fängt immer damit an, ein Traumkleid zu machen. Und dann muss man es auseinandernehmen, abschneiden, entfernen. Immer nur wegnehmen, nie etwas hinzufügen.

Bis zum letzten Tag nehme ich noch Änderungen vor. Was denken Sie denn? Ich mache meine Kleider an den Mannequins.

Das Schneidern ist meine Freude, mein Ziel, mein Ideal, meine Raison d'être, mein Ein und Alles, mein Ich … ich bin nur eine kleine Näherin.

Ich war diejenige, die die Schneider in Mode gebracht hat. Vor mir waren sie das nicht im Geringsten.

Die Leute sind nicht von der Mode an sich fasziniert, sondern von den Menschen, die sie machen. Die Leute bringen immer alles durcheinander.

Heutzutage denken die Modeleute nur noch daran, wie sie schockieren können. Wen?

Wenn es in der Couture nur um die Rocklänge ginge, könnte jedes Dienstmädchen, das nähen kann, Couturier werden. Und wir könnten ins Kino gehen oder fernsehen.

COUTURIERS
halten sich
für so
WICHTIG

•••

COCO
ÜBER
STIL

Ich mag es nicht, wenn die Leute über Chanel als eine Mode sprechen. Chanel ist vor allem ein Stil. Mode kommt irgendwann aus der Mode. Stil niemals.

Andere Designer folgten der Mode, während ich einen Stil geschaffen habe.

Warum ich einen Stil geschaffen habe: Ich könnte mir nie jede Woche etwas Neues einfallen lassen. Das ist unmöglich. Am Ende würden ziemlich hässliche Sachen dabei herauskommen.

ICH BIN EIN
SKLAVE MEINES
EIGENEN STILS.

EIN STIL
KOMMT NIE
AUS DER MODE.

CHANEL
KOMMT NIE
AUS DER
MODE.

Meine
ganze
Kunst
bestand darin,
wegzuschneiden,
was andere hinzufügten.

Stil sollte die Menschen erreichen, oder nicht?
Er sollte auf die Straßen gelangen, in das Leben
der Menschen, wie eine Revolution. Das ist Stil.
Der Rest ist Mode. Mode vergeht, Stil bleibt.
Mode besteht aus ein paar amüsanten Ideen,
die sich schnell abnutzen sollen.

Immer nur wegnehmen, zurückstutzen. Niemals
etwas hinzufügen … Die einzige Schönheit ist die
des befreiten Körpers …

Man muss die Frau erleichtern, von Kopf bis Fuß,
denn das macht sie jünger.

Ich finde, dass meine Kleidung, die für ihre
Schlichtheit bekannt ist, bisher noch nicht schlicht
genug ist. Ich werde sie noch schlichter machen.

Schlichtheit bedeutet nicht Armut.

Stil ist mehr als das. Es ist der Schnitt. Es sind die Proportionen, die Farben, die Stoffe. Und mehr als das – mehr als alles –, es ist die Frau selbst.

Was das Schwierigste an meiner Arbeit ist?
Den Frauen zu ermöglichen, sich mit Leichtigkeit zu bewegen, damit sie sich nicht fühlen, als wären sie verkleidet. Damit sie nicht ihre Haltung oder Persönlichkeit ändern müssen, um dem Kleid zu genügen, in das man sie gesteckt hat. Das ist sehr schwer, aber ich besitze ein Talent dafür, wenn man das so nennen kann.

Ziehen Sie die Frauen für heute an, und Sie ziehen sie zugleich für morgen an. Das ist das Paradoxe des Stils.

ES SIND
DIE KLEINEN
DINGE, DIE
IM LEBEN
WICHTIG SIND,

NICHT DIE GROSSEN.

EXTRAVAGANZ

mag ich nur bei anderen.

Kleidung sollte niemals lustig sein, auch nicht wenn sie exzentrisch ist. Die Leute über sein Aussehen zum Lachen zu bringen bedeutet, lächerlich zu sein. Einen einzigartigen Stil zu haben und die anderen mit einer Eleganz zu verblüffen, deren Unaufdringlichkeit und Wirkung jeder Analyse trotzen, sollte das Ziel einer Frau sein, wenn sie ihre geheimnisvolle Aura und Poesie bewahren will.

Eine elegante Frau sollte ihre Einkäufe erledigen können, ohne von den Hausfrauen ausgelacht zu werden. Wer lacht, hat immer recht.

Vor Originalität sollte man sich hüten. In der Couture rutscht man schnell in die Verkleidung und Dekoration ab und läuft Gefahr, zum Zierrat zu werden.

Ich mache nie etwas Lächerliches. Ich verabscheue Lächerlichkeit. Ich habe meinen eigenen Stil gefunden, ein für alle Mal, und an den halte ich mich.

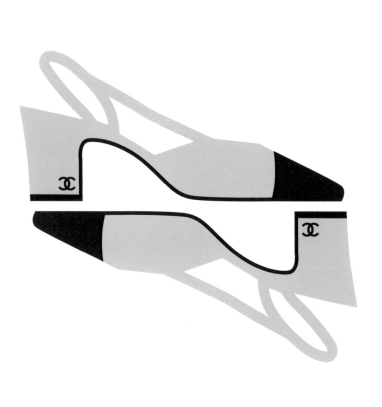

COCO
ÜBER
ELEGANZ

COCO ÜBER ELEGANZ

*Die Definition von Eleganz? Oje, das ist schwer …
Ich kann Ihnen nur sagen, was ich immer sage
und für richtig halte: Ich finde, dass Frauen immer
overdressed sind, aber nie elegant genug.*

*Man muss nicht Chanel tragen, um elegant zu
sein. Es wäre sehr bedauerlich, wenn man sich bei
Chanel einkleiden müsste, um elegant zu sein.*

*Der Schlüssel zur Eleganz liegt nicht in der
Verkleidung, sondern in dem Instinkt, der eine
Frau zu dem führt, was zu ihrem Körper und
zu ihrer Persönlichkeit passt.*

Seien Sie lieber ein *bisschen* underdressed als ein bisschen **overdressed.**

Eleganz
ist eine Linie

Ein Hauch von Schönheit oder Eleganz hat dieselbe überwältigende Macht wie die Flamme einer Kerze in einem dunklen Raum.

Eleganz ist nicht das Vorrecht derjenigen, die kaum erwachsen sind, sondern von Frauen, die ihr Gleichgewicht gefunden haben, ihre Persönlichkeit. Sie brauchen kein Geld, sie besitzen bereits den Reichtum des Herzens – und Eleganz.

Eleganz ist keine Frage des Geldes. Sie ist das Gegenteil von Vulgarität und Nachlässigkeit. Man kann overdressed sein, aber niemals zu elegant. Wenn man hässlich ist, fällt den Leuten das irgendwann nicht mehr auf. Aber wenn man nachlässig ist, immer.

Was ist Eleganz? Eine Art zu stehen, zu gehen, sich hinzusetzen. Nicht nur sich anzuziehen. Man muss die Leute erfreuen können nur durch seine bloße Anwesenheit.

Eine Frau ist beinahe nackter, wenn sie gut angezogen ist.

Glauben Sie ja nicht, dass Eleganz mit Geld, Zuneigung oder Nachahmung erkauft werden kann. Ihre Kleider und Ihr Schmuck sollten genauso zu Ihnen gehören wie Ihre Gesten, Ihr Gang oder Ihr Lächeln. Nur so können sie Sie schön machen, ohne Sie zu verkleiden. Die Worte von Beau Brummell sind immer noch wahr: »Eleganz bleibt unbemerkt.«

Nicht
das Kleid
sollte
die Frau
tragen, sondern
die Frau
das Kleid.

Verbergen
Sie, was
Sie zeigen
könnten.

Zeigen Sie,
was Sie nicht
verbergen
können.

*Der Chic eines Kleides liegt nicht in der Anmaßung,
sondern in der feinen Qualität des Stoffes, dem
Schnitt und der Ausführung seiner Idee. Es ist
immer besser, zwei perfekte Kleider zu haben, als
vier mittelmäßige.*

*Eleganz besteht nicht darin, ein neues Kleid
anzuziehen. Man ist nicht elegant, weil man
ein neues Kleid hat. Man ist elegant, weil man
elegant ist. Es gibt Menschen, die das nicht sind
und nie sein werden.*

COCO
ÜBER
SCHMUCK

COCO ÜBER SCHMUCK

Ich behänge mich gerne mit Schmuck, weil er an mir immer falsch aussieht.

Wenn ich Zeit habe, nehme ich eine Schachtel Wachs und modelliere etwas mit meinen Händen. So mache ich auch meinen Schmuck. Es kommt auf die Proportionen an.

Schmuck soll einen nicht wohlhabend erscheinen lassen, sondern schmücken – das ist nicht dasselbe.

Schmuck
ist immer nur ein Spiegel des
Herzens.

Das Problem,
wenn man
FALSCHEN
Schmuck
macht, ist, ihn
ECHTER
aussehen zu lassen
als den
ECHTEN.

COCO ÜBER SCHMUCK

Schmuck sollte voller Unschuld und Naivität betrachtet werden, so wie man den Anblick eines blühenden Apfelbaums am Straßenrand genießt, an dem man mit dem Auto vorbeirast.

Der Sinn von Schmuck ist es, demjenigen Respekt zu zollen, für den und in dessen Haus man ihn trägt.

Schmuck ist nicht dazu da, Neid zu erwecken – bestenfalls Staunen. Er muss Zierde bleiben, einfach Spaß machen.

COCO ÜBER SCHMUCK

Jeder Schmuck war zunächst eine Zeichnung …
Mein Schmuck repräsentiert in erster Linie eine
Idee! Ich wollte die Frauen mit Konstellationen
schmücken. Mit Sternen! Sternen in allen Größen,
die in ihren Haaren funkeln, Halbmonden in ihren
Stirnfransen.

Mein Schmuck ist nie isoliert von der Idee einer
Frau und ihres Kleides. Weil sich die Kleider
ändern, ändert sich auch mein Schmuck.

Was zählt, sind nicht die Karat, sondern die Illusion.

N°5

COCO
ÜBER
PARFÜM

Ich wollte ein Parfüm für Frauen erschaffen, aber eines, das künstlich hergestellt wurde: wie ein Kleid. Ich bin eine Handwerkerin der Couture. Ich will keinen Rosen- oder Maiglöckchenduft, ich will ein Parfüm, das eine Komposition ist.

Parfüm? Es gibt nichts Wichtigeres … Entscheidend ist, dass es zu der Person passt, die es trägt. Schlecht parfümiert ist nur eine Frau, die überhaupt kein Parfüm trägt, die so eingebildet ist, zu denken, dass ihr natürlicher Duft ausreicht. Nun, das tut er nicht!

Durch Zufall

kam ich zur Couture.

Durch Zufall

entwarf ich Parfüms.

Wo sollte man das Parfüm auftragen?

„*Überall, wo man geküsst werden will.*

Was essen Sie?

„Morgens eine Gardenie und abends eine Rose.

Ein Parfüm sollte einem
einen Schlag
versetzen.
Ich schnüffele doch
nicht drei Tage herum,
um dahinterzukommen,
wonach es riecht!

Es braucht einen Körper,
und das, was dem Parfüm
einen Körper verleiht, ist
das Teuerste daran.

Eine Frau, die sagt, »Ich trage nie Parfüm«, und deren Mantel nach Kleiderschrank riecht, hat schon verloren. Sie hat keinerlei Chance im Leben.

Frauen tragen die Düfte, die sie geschenkt bekommen! Aber Sie sollten ein Parfüm tragen, das Sie lieben, Ihr ganz eigenes. Wenn ich irgendwo eine Jacke vergesse, wissen die Leute, dass sie mir gehört.

N° 5?
SO EIN PARFÜM HAT ES
NOCH NIE ZUVOR
GEGEBEN.
**EIN FRAUEN-
PARFÜM**
MIT
FRAUENDUFT.

N° 5 WIRD NIE »SCHLECHT«.

WENN SIE N° 5 MÖGEN, MACHEN SIE ES WIE ICH UND BLEIBEN SIE IHM TREU. DAS MACHT ES IHNEN LEICHT, SIE SELBST ZU SEIN UND NIEMAND ANDERS.

COCO
ÜBER
FARBEN

Bei den Grossisten bestellte ich Naturfarben, denn ich wollte die Frau der Natur wieder anpassen, auch die Tiere passen sich an. Ein grünes Kleid sieht auf einem Rasen sehr gut aus.

Ich flüchte mich ins Beige, weil es natürlich ist. Ungefärbt. Und ins Rot, weil es die Farbe von Blut ist, und davon haben wir so viel in uns, dass wir es auch ein bisschen nach außen hin zeigen sollten.

ROT

IST DIE FARBE DES

LEBENS,

ICH LIEBE

ROT.

Vor **MIR** wagte es niemand, **SCHWARZ** zu tragen.

So habe ich das Schwarz durchgesetzt, und es dominiert immer noch, denn Schwarz sticht alles aus.

Vier oder fünf Jahre lang machte ich alles in Schwarz. Meine Kleider verkauften sich wie warme Semmeln. Ich fügte immer einen kleinen Akzent hinzu, einen weißen Kragen oder Ärmelaufschlag. Alle trugen sie: von der Schauspielerin und feinen Dame bis zum Zimmermädchen.

Frauen haben die ganze Farbpalette im Kopf, nur an Farblosigkeit denken sie nie. Ich sagte, Schwarz hält allem stand. Weiß auch. Beide sind absolut schön. Das ist vollkommene Harmonie. Stecken Sie Frauen für einen Ball in Weiß oder Schwarz: Aller Augen werden auf sie gerichtet sein.

Wenn eine gut gekleidete Frau auf der Straße eine leuchtende Farbe trägt (die ihr auch steht), teilt sich die Menge vor ihr. Man lässt sie vorbeigehen, man bewundert sie.

Eine Frau, die helle Farben trägt, ist selten schlecht gelaunt.

Eines Tages lernte ich, dass Weiß – die Farbe des Mondes – ein Symbol für das Absolute ist. Weiß steht nicht nur für Reinheit, sondern auch für Gerechtigkeit und deren endgültigen Sieg. Die Gewänder der Auserwählten der Apokalypse waren weiß. Weiß ist auch die Farbe der Kälte, der Verzweiflung und des Verzichts.

Die Tragik

besteht darin, dass
die alternde Frau sich
plötzlich besinnt, wie
gut ihr doch mit zwanzig
Himmelblau stand!

COCO
ÜBER
ARBEIT

Ich habe Kleider gemacht, hätte auch allerlei anderes machen können. Es war Zufall. Ich habe nicht die Kleider geliebt, sondern die Arbeit. Ihr habe ich alles geopfert, sogar die Liebe. Die Arbeit hat mein Leben aufgefressen.

»Alles, was Coco anfasst, verwandelt sie in Gold«, sagen meine Freunde. Und was ist das Geheimnis dieses Erfolgs? Dass ich wahnsinnig geschuftet habe. Fünfzig Jahre lang habe ich jetzt gearbeitet, genauso viel und mehr als so mancher andere. Nichts kann das Arbeiten ersetzen, weder Wertpapiere noch Dreistigkeit, noch Glück.

Als mein Geschäft ein Leben hatte, war es mein Leben, als es ein Gesicht hatte, war es mein Gesicht, als es eine Stimme hatte, war es meine Stimme, und als ich das Gefühl hatte, dass meine Arbeit mich liebte, mir gehorchte und mir antwortete, gab ich mich ihr völlig hin. Seitdem gibt es für mich keine größere Liebe.

ARBEIT

HAT EINEN

VIEL INTENSIVEREN

GESCHMACK

ALS

GELD.

Bei dem Wort URLAUB bekomme ich Schweißausbrüche.

Nichts entspannt mich mehr, als zu arbeiten, und nichts laugt mich mehr aus als Müßiggang. Je mehr ich arbeite, desto mehr Spaß macht es mir.

Die Leute wollen Sanftheit. Aber mit Sanftheit kann man nicht arbeiten: Das ist nicht echt. Für eine Henne, die Eier legt, vielleicht. Aber zum Arbeiten braucht man Wut.

Was ich machen würde, wenn ich nicht mehr arbeiten würde? Mich zu Tode langweilen.

Ich liebe nur, was ich erfinde, und ich kann nur erfinden, wenn ich vergesse.

Die Künstler haben mir Strenge beigebracht.

Ich bin keine Künstlerin. Die Arbeit eines Künstlers wirkt auf den ersten Blick lächerlich und wird dann zum Erfolg. Meine Arbeit muss sofort ein Erfolg sein und später lächerlich werden.

Ich bin ständig dabei, an meiner Arbeit zu feilen, das ist eine Krankheit. Ich mache einen Job, den keiner mehr kennt.

Genie wird einem in die Wiege gelegt. Talent muss erst hervorgebracht werden.

Eine
Arbeiterin.
Ich bin eine
Arbeiterin.
Manche
mögen das
Wort nicht,
aber zu
denen gehöre
ich nicht.

COCO
ÜBER
IDEEN

Ist eine Erfindung erst einmal gemacht, soll sie sich ruhig in der Namenlosigkeit verlieren. Ich wüsste meine Ideen gar nicht alle auszuschöpfen, und es ist mir eine große Freude, wenn ein anderer sie in die Tat umsetzt, manchmal geschickter als ich.

Nur wenige Designer wurden so oft imitiert wie ich. Ich bin auf der Seite der Mehrheit. Ich finde, der Stil sollte auf die Straße gehen, in den Alltag, wie eine Revolution. Das ist wahrer Stil.

Entdeckungen sind dazu da, verloren zu gehen.

**Am Anfang dieser Schöpfung
steht der**

Einfall.

**Er ist das Samenkorn, das Saatgut.
Damit eine Pflanze gedeiht,
bedarf es der richtigen Temperatur.
Diese Temperatur ist der**

Luxus.

**Mode muss in Luxus
geboren werden.**

WENN ICH NICHTS MEHR ERSCHAFFE, IST MEIN LEBEN ZU ENDE.

Vom Schönen ausgehend, gelangt man allmählich zum Schlichten, zum Praktischen, zum Preiswerten: von einem wundervoll gelungenen Kleid zur Konfektion. Das Gegenteil aber stimmt nicht. Daher stirbt die Mode, sobald sie sich die Straße erobert hat, eines natürlichen Todes.

Wir können nicht verhindern, dass man sich unsere Ideen früher oder später ausborgt, vorausgesetzt natürlich, dass man nicht auch unsere Namen und Logos borgt.

Was man niemals klauen kann, sind Authentizität, Erfindungsgeist und Perfektion in der Herstellung, die so teuer ist, weil sie nicht dem Motor einer Nähmaschine entspringt, sondern den Händen und dem Kopf einer französischen Näherin.

Diejenigen, die gute Einfälle haben, sind wenige. Die, die keine haben, sind viele. Deshalb sind sie stärker.

Eine Innovation, die danebengeht, ist schmerzhaft. Eine Wiederbelebung fatal.

Schlichtheit kann man imitieren, aber nicht kopieren. Schlichtheit ist Perfektion.

DIE STRASSE

interessiert mich mehr
als die Salons.

COCO
ÜBER
LUXUS

LUXUS
IST NICHT DAS
GEGENTEIL VON

ARMUT,

SONDERN DAS
GEGENTEIL VON
GEWÖHNLICHKEIT.

COCO ÜBER LUXUS

Luxus, das ist zunächst einmal der geniale Erfindergeist des Künstlers, der den Gedanken zu fassen und ihm Gestalt zu verleihen vermag. Diese Form wird dann von Millionen Frauen, die sich mit ihr identifizieren können, in die Welt hinausgetragen und mit Leben erfüllt.

Für mich ist Luxus, gut gemachte Kleidung zu haben und ein Kostüm fünf Jahre lang tragen zu können, weil es immer noch gut aussieht. Das ist mein Traum: alte Kostüme, gebrauchte Sachen.

Luxus ist ein Mantel, den eine Frau mit der Innenseite nach außen über einen Sessel wirft ... und der von innen schöner aussieht als von außen.

Ich habe mit und ohne Luxus gelebt und versucht,
meinen Zeitgenossen ein Gefühl dafür zu geben,
was das für mich genau bedeutet, indem ich ihnen
immer wieder gesagt habe, dass etwas erst zum
Luxus wird, wenn man, streng genommen, ohne es
auskommen würde, sich aber dagegen entscheidet.
Luxus ist Entspannung für die Seele. Er befriedigt
eine noch tiefere Sehnsucht als das Bedürfnis, zu
handeln oder zu denken. Vergleichen kann man es
nur mit dem Bedürfnis nach Liebe. Die Fähigkeit,
das Schlichte zu lieben, ist ein großer Luxus.

Luxus sollte so gut wie unsichtbar bleiben.
Man sollte ihn spüren: Eine Frau, die sich in
Luxus gehüllt fühlt, strahlt.

Wenn das Haus Chanel nicht mehr existiert, wenn
ich weg bin, wird der Luxus mit mir verschwinden.

LUXUS KANN MAN NICHT KOPIEREN.

Und weil
GELD
ETWAS
SÜNDIGES IST,
muss es
verschleudert werden.

Es gibt zwei Arten von Menschen: solche, die Geld haben, und solche, die reich sind. Diejenigen, die Geld haben, geben es aus, so wie ich es getan habe.

Ich kaufe gern, doch das Schlimme daran ist, dass man das Gekaufte dann besitzt.

Es gibt Menschen, die durch Sparen arm geworden sind, und andere, die reich wurden, indem sie Geld ausgaben: Ich war schon immer so arm wie Krösus und so reich wie Hiob.

Ich beurteile die Menschen nach ihrer Art, Geld auszugeben.

*Ich habe mich nicht nur mit Reichen abgegeben.
Manche sind so was von ordinär, und ich würde
lieber mit einem Stadtstreicher speisen als mit
Reichen, die mich zu Tode langweilen.*

*Ich mag kein Geld. Folglich mag ich Leute auch
nicht, bloß weil sie Geld haben. Leute, die immer
nur über Geld reden, sind ermüdend.*

*Sparsamer Reichtum, angeberischer Prunk,
schäbige Freigiebigkeit: Das sind die sichersten
Waffen für den Selbstmord des Wohlstands.*

*Geld war für mich nie etwas anderes als der
Klang der Freiheit.*

Geld ist nicht schön, es ist praktisch.

COCO
ÜBER
ZEIT

Mein Alter hängt vom Tag ab und von den Leuten, mit denen ich zusammen bin.

Wenn ich mich langweile, bin ich tausend Jahre alt, aber warum sollte ich mir Gedanken über mein Alter machen, wenn ich die Gesellschaft eines guten Freundes genieße?

Dreißig Jahre lang kamen Frauen zu mir, junge und alte, und wollten jünger werden, oder, genauer gesagt, tun, was ich tue: mein Alter mit Würde tragen, was nie eine Frage der Jahre war.

Ich hatte so ein ausgefülltes Leben, ich bin ständig hinter der Zeit hergerannt.

JÜNGER
SEIN ZU
WOLLEN HEISST
BEREITS
ALT SEIN.

Die Natur gibt uns das
Gesicht, das wir mit

20

haben. Das Leben formt
unser Gesicht mit

30.

Doch das, welches wir mit

50

haben, verdienen wir uns selbst.

Das eigentliche, das allergrößte Problem ist, die Frauen jünger zu machen. Lass sie jung aussehen, und ihr Blick aufs Leben ändert sich. Sie werden viel fröhlicher.

Das Alter spielt keine Rolle: Eine Frau kann mit 19 entzückend sein, mit 29 hinreißend. Aber mit 39 ist sie absolut unwiderstehlich. Und älter als 39 wird keine Frau, die einmal unwiderstehlich war.

Eine Frau, die in die Jahre kommt, verwendet Tag um Tag immer mehr Zeit auf sich selbst. Und als sei es eine immanente Gesetzmäßigkeit, die der Teufel verfügt hat, macht nichts so alt wie dieses »sich um sich selbst kümmern«.

Schönheitspflege muss im Herzen und in der Seele beginnen, sonst nutzen alle Kosmetika nichts.

*Junge Mode? Was soll das heißen? Sich anziehen
wie ein kleines Mädchen? Etwas Dümmeres gibt
es gar nicht, nichts lässt eine Frau älter wirken.
Die Leute werfen alles durcheinander. Mode ist
manchmal dumm, das vergessen viele.*

*Mode für junge Leute? Das ist eine Tautologie:
Es gibt ja auch keine Mode für alte Leute.*

*Lieben Sie den Herbst, wie Sie Ihren eigenen
lieben würden, wenn er schließlich kommt und
Ihnen keine Angst mehr einjagt.*

GLAUBEN SIE, ES MACHT SPASS, DIE LEUTE STÄNDIG SAGEN ZU HÖREN, DASS MAN KEINE ZWANZIG MEHR IST?

DU BIST KEINE ZWANZIG MEHR.

DU BIST KEINE ZWANZIG MEHR.

DU BIST KEINE ZWANZIG MEHR.

DU BIST KEINE ZWANZIG MEHR.

DU BIST KEINE ZWANZIG MEHR.

DU BIST KEINE ZWANZIG MEHR.

DU BIST KEINE ZWANZIG MEHR.

DU BIST KEINE ZWANZIG MEHR.

DU BIST KEINE ZWANZIG MEHR.

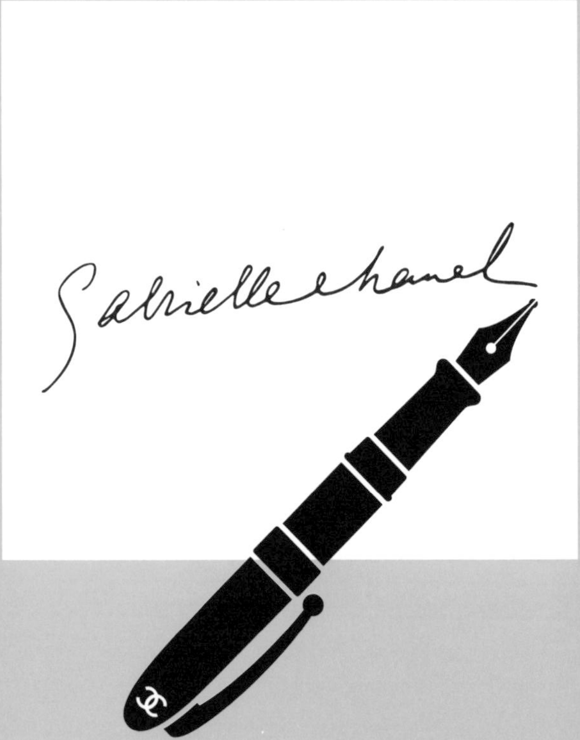
Gabrielle Chanel

COCOS
WITZ

Mode spiegelt immer die Zeit wider, aber sie wird schnell vergessen, wenn sie dämlich ist.

Sich verkleiden ist herrlich, sich verkleiden lassen ist traurig.

Die Mode ist eine Königin und manchmal eine Sklavin.

Die Mode ist Raupe und Schmetterling zugleich. Seien Sie tagsüber eine Raupe und abends ein Schmetterling. Es gibt nichts Bequemeres als eine Raupe, und nichts ist besser für die Liebe geschaffen als ein Schmetterling. Sie brauchen Kleider, die kriechen, und Kleider, die fliegen. Der Schmetterling geht nicht auf den Markt, und die Raupe nicht auf den Ball.

Die Mode ist nicht das Theater, sondern das Gegenteil davon.

DIE POESIE

DER MODE
IST ES, EINE

ILLUSION

ZU SCHAFFEN.

SCHMUCK,
was für eine Wissenschaft!

SCHÖNHEIT,
was für eine Waffe!

BESCHEIDENHEIT,
was für eine Eleganz!

*Man macht zuerst das Kleid und dann
die Verzierungen.*

*Ein Kleid ist keine Bandage. Es ist gemacht, um
getragen zu werden. Man trägt es mit den Schultern.
Ein Kleid sollte an den Schultern hängen.*

*Luxus ist eine Notwendigkeit, die beginnt,
wo die Notwendigkeit endet.*

*Niemand, kein Designer, kein Visagist, nicht
einmal Geld kann Ihnen Charme verleihen.
Charme steckt in Ihnen. Der Trick ist, ihn
für sich selbst zu entdecken.*

Frauen können mit einem Lächeln alles geben und mit einer Träne alles nehmen.

Der Flirt ist eine Eroberung des Verstandes über die Sinne.

Wahre Großzügigkeit bedeutet, auch Undankbarkeit zu akzeptieren.

Man kann trotz seiner größten Fehler geliebt, aber für seine wahren Qualitäten und größten Tugenden gehasst werden.

Wenn Sie
OHNE
FLÜGEL
**geboren wurden,
tun Sie nichts,
um sie am Wachsen
zu hindern.**

An
Hässlichkeit
kann man
sich gewöhnen,
an
Nach-
lässigkeit
niemals.

Die einzigen Tore, die man öffnen kann, sind die, die man selbst geschlossen hat.

Frauen werden nur in schweren Zeiten als bewunderungswürdig angesehen. Es ist eine weitverbreitete Ansicht, die es Männern ermöglicht, ihnen nur in Zeiten von Katastrophen zu danken.

Den Frauen ihre geheimnisvolle Aura zurückzugeben bedeutet, ihnen ihre Jugend zurückzugeben.

Der »gute Geschmack« macht einige tatsächliche Eigenschaften des Geistes zunichte. Zum Beispiel den Geschmack selbst.

Es gibt einen Moment, zu dem man ein Werk nicht mehr anrühren kann: dann, wenn es am schlimmsten ist.

Das kleinste echte Unglück lässt alle eingebildeten Unglücke verschwinden.

Schlechter Geschmack hat seine Grenzen.

Nur guter Geschmack ist grenzenlos.

Übertriebene Feinfühligkeit in der Liebe kann einen in die Untreue treiben.

Da man sich allgemein darüber einig ist, dass die Augen die Fenster zur Seele sind, warum geben wir dann nicht zu, dass der Mund das Tor zum Herzen ist?

Man muss sein Leben mit dem Hintergedanken gestalten, dass alles, was man nicht mag, eine Kehrseite hat, die man wahrscheinlich liebt.

Schweigen trennt Menschen mehr voneinander als Distanz.

Unsere engsten Feinde stecken in uns selbst. Ihr jungen Leute, denkt daran, dass euer Wesen euch seine Lektion erst lehrt, wenn es zu spät ist.

WENN MAN NICHT MEHR WEINT, LIEGT DAS DARAN, DASS MAN NICHT MEHR AN DAS GLÜCK GLAUBT.

WER
unersetzbar
SEIN WILL,

MUSS VOR ALLEM
anders
sein.

Ein Heiliger auf der Welt ist nicht nützlicher als ein Heiliger in der Wüste. Wenn die Heiligen, die in der Wüste leben, nutzlos sind, sind diejenigen, die auf der Welt leben, oft gefährlich.

Lässigkeit ist eine weibliche Eigenschaft. Bei einem Mann ist sie unerträglich, es sei denn, er ist ein Genie.

Man rächt sich weder für seinen Geist noch für seine Ehre, sondern für seine Eitelkeit.

Dummheit ist schlimmer als alles andere ... Man kann alles verzeihen, außer Dummheit.

KARL
ÜBER
COCO

Der Erfolg von Chanel beruht darauf, dass es ihnen gelungen ist, die Identifikationsmerkmale aufzuzwingen. Eine zeitlose kleine Melodie aus fünf Noten, an der man sofort das Wesentliche von Chanel erkennt: Luxus und Eleganz.

In den Dreißigerjahren war sie für ihre Abendkleider in Spitze sehr viel bekannter als für ihre Kostüme. Wenn ich Spitze höre, denke ich sofort an Chanel. Im Französischen reimt sich das: dentelle – Chanel …

Sie hat das erfunden, was man den »total Look« *nennt. Sie war die Erste, die ein Parfüm mit einem Frauenduft haben wollte, ganz für sich allein, wovon alle Frauen träumten. Schmuck für ihre Kollektion. Hüte, Schuhe, Kettengürtel, die* camélia *als Ansteck-nadel. Vom Krawattenknoten bis zur Handtasche hat sie das Accessoire sublimiert, aus dem Unbedeu-tenden das Unentbehrliche gemacht.*

Der Stil Chanel ist ein

EGOTRIP.

**Sie hat alles für sich selbst gemacht.
Um sich durchzusetzen.**

Ich jongliere mit dem, was ich über sie weiß und was ich mir vorstelle.

Die Coco Chanel der Anfangsjahre ist mir die Liebste, die rebellische, exzentrische, die sich eines Abends vor einer Opernpremiere die Haare abschnitt, weil bei der Explosion eines Boilers ihr einmalig schönes Haar verbrannt war. Ich mag die Boshaftigkeit ihres Humors, ihre Intelligenz. Es ist diese Chanel, an die ich denke, wenn ich meine Kollektionen entwerfe.

Coco Chanel war eine Frau ihrer Zeit. Sie war keine Spießerin, die in der Mode auf das Vergangene schaute. Ganz im Gegenteil, sie hasste die Vergangenheit, ihre eigene eingeschlossen, und das ist der Ursprung von allem. Deshalb muss Chanel auch heute der Ausdruck des Jetzt sein.

Was ich mache, hätte Coco Chanel sicher nie gemacht. Sie hätte es wahrscheinlich gehasst.

Chanel steht für einen Look, der sich jeder Epoche und jedem Alter anpassen lässt. Es gehört in jeden Kleiderschrank wie das T-Shirt, die Jeans oder das weiße Hemd. Die Chanel-Jacke ist wie der Anzug mit zwei Knöpfen für Männer.

Das Genie von Mademoiselle bestand darin, das Kostüm, die camélia oder die Goldkette so zu präsentieren, als hätte sie selbst sie erfunden. Ein bisschen wie Charlie Chaplin mit seinem Stock, seinem Hut, seinem Schnurrbart und der Schlotterhose.

Meine Aufgabe besteht nicht darin, die Chanel-Jacke zu respektieren, sondern sie unserer Zeit anzupassen.

Ich liebe die Idee von Chanel, aber ich bin nicht Chanel.

ICH KENNE DIE DNA VON CHANEL BESTENS,

und sie ist stark genug, dass man nicht darüber reden muss.

COCO
ÜBER
COCO
2

*Als ich jung war, hatten Frauen noch keine Form.
Ich gab ihnen ihre Freiheit zurück: echte Arme
und Beine, die Möglichkeit, sich richtig zu bewegen
und ohne Unbehagen zu lachen und zu essen.*

*Ich frage mich oft, warum ich mich gerade auf
dieses Metier gestürzt habe, warum ich darin so
revolutionär wirkte. Nicht um in der Mode das zu
kreieren, was mir gefiel, doch viel eher ging es
zunächst einmal und vor allem darum, aus der
Mode zu beseitigen, was mir nicht gefiel. Ich
benutzte mein Talent als Sprengstoff.*

*Jetzt arbeitete ich für eine neue Gesellschaft. Bisher
hatten wir Frauen eingekleidet, die nichts Nützliches
taten, dem Müßiggang frönten, denen die Zofen
gar die Strümpfe überziehen mussten. Nun bestand
meine Kundschaft aus berufstätigen Frauen, und
die berufstätige Frau muss sich wohlfühlen in ihrem
Kleid. Man muss die Ärmel hochkrempeln können.*

ICH WAR
DAS WERKZEUG DES
SCHICKSALS
IN EINER
DRINGEND NÖTIGEN
REINIGUNGS-
AKTION.

Eine Welt ging zu Ende,
eine andere entstand.
An diesem Übergang befand
ich mich, eine Chance bot
sich, und die ergriff ich.

Ich hatte das richtige Alter für dieses neue Jahrhundert. Es wandte sich logischerweise an mich, um sich in der Kleidung zum Ausdruck zu bringen. Es brauchte Schlichtheit, Bequemlichkeit, klare Linien.

Immer wollten die Menschen mich in einen Käfig stecken: Käfige, die mit Versprechungen gepolstert waren, goldene Käfige, Käfige, die ich kurz mit dem Finger angetippt und mich dann sofort abgewendet habe. Ich wollte nie einen anderen Käfig als den, den ich mir selbst gebaut hatte.

*Ich war kaum zwanzig, als ich ein Modehaus gründe-
te. Es war nicht das Werk einer Künstlerin, wie
immer wieder behauptet wird, und auch nicht das
einer Geschäftsfrau, sondern das eines Geschöpfes,
das nichts als die Freiheit suchte.*

*Ich habe dem Körper der Frauen seine Freiheit
wiedergegeben; dieser Körper schwitzte in den
Prunkgewändern, unter all den Spitzen, den
Korsetts, den Dessous, der Staffage.*

*Ich will, dass die Frauen hübsch sind. Und frei.
Frei, die Arme schwingen zu lassen und schnell
zu gehen. Mit der Zeit.*

Glück

ist eine
Daseinsform.

Glück

ist keine
kleine Person.

Glück

ist meine
Seele.

*Das Glück hängt oft von wenigen Dingen ab.
Ich kam zum richtigen Zeitpunkt und lernte die
richtigen Leute kennen.*

*Es ärgert mich, wenn ich hören muss, ich hätte eben
Glück gehabt. Niemand hat härter gearbeitet als ich.*

*Ich stelle mir gern vor, dass mein Erfolg ein Liebes-
beweis ist, und ich würde gern glauben, dass ich,
weil ich liebe, was ich tue, im Gegenzug auch geliebt
werde, durch meine Kreationen.*

*Das Alleinsein hat mein widerspenstiges Wesen
gestählt, meinen stolzen Sinn gefestigt, meinen
robusten Körper abgehärtet.*

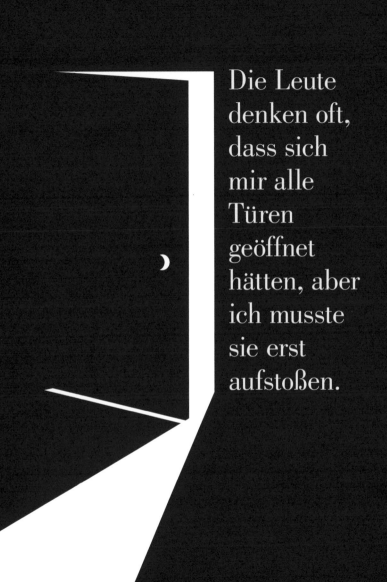

Die Leute
denken oft,
dass sich
mir alle
Türen
geöffnet
hätten, aber
ich musste
sie erst
aufstoßen.

Das ist Berühmtheit: Einsamkeit.

Mein Leben, das ist die häufig in Tragik ausartende
Geschichte der alleinstehenden Frau, ihrer Höhen
und Tiefen, des ungleichen, aber spannenden
Kampfes gegen sich selbst, gegen die Männer,
gegen die Verlockungen, Annehmlichkeiten und
Gefahren, die ja überall lauern.

Ich hasse das Alleinsein und lebe doch völlig allein.
Ich würde den diensthabenden Polizisten herauf-
bitten, um nicht allein zu Abend zu essen.

Es gibt nichts Schlimmeres, als allein zu sein.
Doch: in einer Partnerschaft allein zu sein.

Ich weiß nicht mal mehr, ob ich glücklich gewesen
bin. Neugierig bin ich nur noch auf eines: den Tod.

Ich sehne mich nur noch nach Ruhe. Ich hoffe,
nach meinen Tod lässt man mich in Frieden ruhen.

Chanel-Kunden lesen Luxus-Magazine: Vogue, Harper's Bazaar. *Diese Magazine machen unsere Werbung. Populäre Zeitschriften mit großen Auflagen sind noch besser. Sie schaffen unsere Legende.*

Die Legende ist die Weihe der Berühmtheit.

Menschen, die eine Legende haben, werden auch zu dieser Legende.

Ich mache doch nur Witze, weil ich Ihnen nichts über mich erzählen will. Dazu bin ich gar nicht wichtig genug.

Ich werde
Ihnen nicht
meine ganze
**Lebens-
geschichte**
erzählen!

Quellen

BÜCHER

Danièle Bott, *Chanel* (Paris: Ramsay, 2005) • Edmonde Charles-Roux, *L'Irrégulière ou mon itinéraire Chanel* (Paris: Grasset, 1974) • Edmonde Charles-Roux, *Coco Chanel: Ein Leben* (Frankfurt: Fischer, 2005) • Claude Delay, *Chanel solitaire* (Paris: Gallimard, 1983) • Pierre Galante, *Les Années Chanel* (Paris-Match/Mercure de France, 1972) • Marcel Haedrich, *Coco Chanel. Geheimnis eines Lebens* (Berlin: Lothar Blanvalet, 1972) • Lilou Marquand, *Coco Chanel hat mir erzählt …* (Berlin: Volk und Welt, 1991) • Patrick Mauriès, Jean-Christophe Napias und Sandrine Gulbenkian, *Karl und wie er die Welt sah* (München: Prestel, 2020) • Paul Morand, *Die Kunst, Chanel zu sein: Coco Chanel erzählt ihr Leben* (München: SchirmerGraf, 2019) • Louise de Vilmorin, *Mémoires de Coco* (Paris: Éditions Gallimard, 1999)

ZEITSCHRIFTEN UND ZEITUNGEN

Elle • Figaro Magazine • Harper's Bazaar US • La Revue des sports et du monde • Le Nouveau Femina • L'Express • L'Illustré de Lausanne • L'Intransigeant • Le Point • Marianne • Marie Claire • McCall's • Mirabella • Paris Match • Série Limitée • Stiletto • The New Yorker • Time • Town and Country • Vogue France

INTERVIEWS

Interview mit Pierre Dumayet (in *Cinq Colonnes à la Une*, 1959) • Interviews mit Jacques Chazot (in *DIM DAM DOM* am 11. Februar 1968 und einer Fernsehnachrichtensendung am 30. Januar 1970) • CD *Coco Chanel Parle. La Mode Qu'est-ce que c'est ?* (aus »Français de notre temps«, 1972) • France 3 • CNN

Die folgenden Zitate stammen aus *Mémoires de Coco* von Louise de Vilmorin: S. 19, »Kühnheit und Schüchternheit …« • S. 58, »Andere Designer folgten …« • S. 65, »Kleidung sollte niemals …« • S. 100, »Eines Tages lernte ich, …« • S. 104, »Als mein Geschäft ein Leben hatte, …« • S. 162, »Als ich jung war, …« • S. 165, »Immer wollten die Menschen …« • S. 166, »Ich war kaum zwanzig, …« • S. 168, »Ich stelle mir gern vor, dass …«

Die folgenden Zitate stammen aus *Die Kunst, Chanel zu sein* von Paul Morand: S. 12, »Ich habe ein paar recht …« S. 12, »Ich hasse es, …« • S. 12, »Dieser äußerst harten Erziehung …« S. 12, »Ich bin schnell gereizt, …« • S. 14, »Ich kritisiere für mein …« • S. 15, »Ich lasse mich nicht …« • S. 15, »Haben Sie meinen …« • S. 15, »Ich bin der einzige …« • S. 16, »Unterordnen kann ich …« • S. 18, »Je mehr man mich sehen wollte, …« • S. 19, »Jedes Mal, wenn ich etwas …« • S. 19, »Die Unbarmherzigkeit des …« • S. 23, »Ich, die ich zur Klasse …« • S. 23, »Ich hänge nur an …« • S. 28, »Man kann lernen, Kleider zu nähen …« • S. 31, »Ich habe ein Vierteljahrhundert …« • S. 31, »Es ist besser, der Mode …« • S. 33, »Die Mode will getötet werden, …« • S. 36, »Es gibt intelligente Frauen, …« • S. 39, »Mit Enthusiasmus muss man …« • S. 39, »Denn die Mode …« • S. 46, »Hätte ich ein Handbuch …« • S. 50, »Man darf keine Scheu haben …« • S. 53, »Ein schöner Stoff …« • S. 64, »Extravaganz mag …« • S. 65, »Vor Originalität sollte man …« • S. 78, »Ich behänge mich …« • S. 87, »Durch Zufall kam ich …« • S. 96, »Bei den Grossisten …« • S. 99, »So habe ich das Schwarz …« • S. 99, »Frauen haben die ganze …« • S. 101, »Die Tragik besteht darin, …« • S. 104, »Ich habe Kleider …« • S. 104, »Alles, was Coco …« • S. 107, »Nichts entspannt mich …« • S. 107, »Ich liebe nur, …« • S. 112, »Ist eine Erfindung …« • S. 113, »Am Anfang dieser Schöpfung …« • S. 115, »Vom Schönen ausgehend, …« • S. 121, »Luxus, das ist …« • S. 124, »Und weil Geld …« • S. 125, »Ich kaufe gern, …« • S. 125, »Ich beurteile …« • S. 127, »Geld ist nicht …« • S. 133, »Eine Frau, die in die …« • S. 133, »Schönheitspflege muss im Herzen …« • S. 162, »Ich frage mich oft, …« • S. 162, »Jetzt arbeitete ich für …« • S. 164, »Eine Welt ging zu Ende, …« • S. 165, »Ich hatte das richtige Alter …« • S. 166, »Ich habe dem Körper …« • S. 168, »Es ärgert mich, …« • S. 168, »Das Alleinsein hat mein …« • S. 171, »Mein Leben, das ist …« • S. 171, »Ich hasse das Alleinsein …«

ÜBER DIE
AUTOREN

Als Autor, Herausgeber und Journalist hat Patrick Mauriès zahlreiche Bücher und Essays über Kunst, Literatur, Mode und Kunsthandwerk veröffentlicht. Er hat Bücher über eine Reihe von Personen geschrieben, unter anderem über Jean-Paul Goude, Christian Lacroix und Karl Lagerfeld.

Jean-Christophe Napias ist Schriftsteller, Verleger und Lektor. Er ist Autor mehrerer Bücher über Paris und hat Werke über französische Literatur herausgegeben.

Gemeinsam haben Patrick Mauriès und Jean-Christophe Napias bereits diverse Titel herausgegeben, unter anderen *Karl und wie er die Welt sah* und *Choupette: Aus dem Leben einer Katze an der Seite von Karl Lagerfeld.*